在纪念中国人民抗日战争暨世界反法西斯战争胜利75周年座谈会上的讲话

（2020年9月3日）

习　近　平

人民出版社

图书在版编目(CIP)数据

在纪念中国人民抗日战争暨世界反法西斯战争胜利75周年
座谈会上的讲话/习近平 著. —北京:人民出版社,2020.9
ISBN 978-7-01-022475-6

Ⅰ.①在… Ⅱ.①习… Ⅲ.①习近平-讲话-学习参考资料②抗日战争-中国-学习参考资料③反法西斯战争-学习参考资料
Ⅳ.①D2-0②K265③K152

中国版本图书馆CIP数据核字(2020)第169562号

(RMC-ZJDXI-092-20200903)

在纪念中国人民抗日战争暨世界反法西斯战争胜利75周年座谈会上的讲话

ZAI JINIAN ZHONGGUO RENMIN KANGRI ZHANZHENG JI SHIJIE FAN FAXISI ZHANZHENG SHENGLI 75 ZHOUNIAN ZUOTANHUI SHANG DE JIANGHUA

(2020年9月3日)

习 近 平

人民出版社 出版发行
(100706 北京市东城区隆福寺街99号)

北京新华印刷有限公司印刷 新华书店经销

2020年9月第1版 2020年9月北京第1次印刷
开本:880毫米×1230毫米 1/32 印张:0.5
字数:7千字

ISBN 978-7-01-022475-6 定价:2.50元

邮购地址 100706 北京市东城区隆福寺街99号
人民东方图书销售中心 电话 (010)65250042 65289539

在纪念中国人民抗日战争暨世界反法西斯战争胜利75周年座谈会上的讲话

（2020年9月3日）

习　近　平

同胞们，同志们，朋友们：

今天，我们在这里隆重集会，纪念中国人民抗日战争暨世界反法西斯战争胜利75周年。

75年前的今天，中国人民同世界人民一道，以顽强的意志和英勇的斗争，彻底打败了法西斯主义，取得了正义战胜邪恶、光明战胜黑暗、进步战胜反动的伟大胜利！

75年前的今天，中国人民经过14年不屈不挠的浴血奋战，打败了穷凶极恶的日本军国主义侵略者，取得了中国人民抗日战争的伟大胜利！

这是近代以来中国人民反抗外敌入侵持续时间最长、规模最大、牺牲最多的民族解放斗争，也是第一次取得完全胜利的民族解放斗争。这个伟大胜利，是中华民族从近代以来陷入深重危机走向伟大复兴的历史转折点、也是世界反法西斯战争胜利的重要组成部分，是中国人民的胜利、也是世界人民的胜利。

中国人民抗日战争的伟大胜利，将永远铭刻在中华民族史册上！永远铭刻在人类正义事业史册上！

在这里，我代表中共中央、全国人大、国务院、全国政协、中央军委，向全国参加过抗日战争的老战士、老同志、爱国人士和抗日将领，向为中国人民抗日战争胜利建立了历史功勋的海内外中华儿女，致以崇高的敬意！向支援和帮助过中国人民抗日战争的外国政府和国际友人，表示衷心的感谢！向为了胜利而壮烈牺牲的所有英灵，向惨遭侵略者杀戮的死难者，表示深切的哀悼！

同胞们、同志们、朋友们！

中华文明生生不息5000多年，中国人民以非凡的创造力为人类文明进步作出了不可磨灭的贡献。但是,1840 年以后,由于列强的侵略和封建统治的腐朽,中国饱经沧桑磨难,中国人民遭受深重苦难。日本对华持续侵略是近代以来中国历史上最黑暗的一页,日本反动统治者一次次侵略中国,1894 年挑起甲午战争,1895 年侵占台湾和澎湖列岛,1900 年伙同其他帝国主义列强侵入北京,1904 年发动日俄战争、侵犯中国东北领土和主权,1914 年侵占青岛,1915 年提出"二十一条",1931 年策动九一八事变、侵占中国东北全境,1935 年制造华北事变,1937 年 7 月 7 日以炮轰宛平县城和进攻卢沟桥为标志发动全面侵华战争,妄图变中国为其独占的殖民地,进而吞并亚洲、称霸世界。日本军国主义的野蛮侵略给中国人民造成空前巨大的灾难,激起了中国人民的顽强反抗。

九一八事变后,中国人民就在白山黑水间奋起抵抗,成为中国人民抗日战争的起点,同时揭开了世界反法西斯战争的序幕。七七事变后,抗击侵略、救亡图存成为中国各党派、各民族、各阶级、各阶层、各团体以及海外华侨华人的共同意志和行动,中国由此进入全民族抗战阶段，并开辟了世界反法西斯战争的东方主战场。

在艰苦卓绝的抗日战争中，全体中华儿女为国家生存而战、为民族复兴而战、为人类正义而战，社会动员之广泛，民族觉醒之深刻，战斗意志之顽强，必胜信念之坚定，都达到了空前的高度。杨靖宇、赵尚志、左权、彭雪枫、佟麟阁、赵登禹、张自忠、戴安澜等殉国将领，八路军"狼牙山五壮士"、新四军"刘老庄连"、东北抗联八位女战士、国民党军"八百壮士"等众多英雄群体，就是千千万万抗日将士的杰出代表。中国人民以铮铮铁骨战强敌、以血肉之躯筑长城、以前仆后继赴国难，谱写了惊天地、泣鬼神的雄壮史诗。

中国人民抗日战争的伟大胜利，彻底粉碎了日本军国主义殖民奴役中国的图谋，有力捍卫了国家主权和领土完整，彻底洗刷了近代以来抗击外来侵略屡战屡败的民族耻辱！

中国人民抗日战争的伟大胜利，重新确立了中国在世界上的大国地位，中国人民赢得了世界爱好和平人民的尊敬，中华民族赢得了崇高的民族声誉！

中国人民抗日战争的伟大胜利，坚定了中国人民追求民族独立、自由、解放的意志，开启了古老中国凤凰涅槃、浴火重生的历史新征程！

同胞们、同志们、朋友们！

——中国人民抗日战争胜利是以爱国主义为核心的民族精神的伟大胜利。爱国主义是我们民族精神的核心，是中国人民和中华民族同心同德、自强不息的精神纽带。面对国家和民族生死存亡，全体中华儿女同仇敌忾、众志成城，奏响了气吞山河的爱国主义壮歌。爱国主义是激励中国人民维护民族独立和民族尊严、在历史洪流中奋勇向前的强大精神动力，是驱动中华民族这艘航船乘风破浪、奋勇前行的强劲引擎，是引领中国人民和中华民族迸发排山倒海的历史伟力、战胜前进道路上一切艰难险阻的壮丽旗帜！

——中国人民抗日战争胜利是中国共产党发挥中流砥柱作用的伟大胜利。中国共产党自成立之日起就把实现中华民族伟大复兴作为自己的历史使命，捍卫民族独立最坚定，维护民族利益最坚决，反抗外来侵略最勇敢。在抗日战争时期，在民族危亡的历史关头，中国共产党以卓越的政治领导力和正确的战略策略，指引了中国抗战的前进方向，坚定不移推动全民族坚持抗战、团结、进步，反对妥协、分裂、倒退。中国共产党高举抗日民族统一战线的旗帜，坚决维护、巩固、发展统一战线，坚持独立自主、团结抗战，维护了团结抗战大局。中国共产党人勇敢战斗在抗日战争最前线，支撑起中华民族救亡图存的希望，成为全民族抗战的中流砥柱！

——中国人民抗日战争胜利是全民族众志成城奋勇抗战的伟大胜利。中国共产党坚持动员人民、依靠人民，推动形成了全民族抗战的历史洪流。毛泽东同志在全国抗战开始后就明确提出："我们主张全国人民总动员的完全的民族革命战争，或者叫作全面抗战。因为只有这种抗战，才是群众战争，才能达到保卫祖国的目的。"中国共产党坚持兵民是胜利之本，提出和实施持久战的战略总方针和一整套人民战争的战略战术，敌后根据地军民广泛开展伏击战、破袭战、地雷战、地道战、麻雀战等游击战的战术战法，使日本侵略者陷入了人民战争的汪洋大海之中。中国共产党领导开辟的敌后战场和国民党指挥的正面战场协力合作，形成了共同抗击日本侵略者的战略局面。中国人民抗日战争胜利是全体中华儿女勠力同心、以弱胜强的雄浑史诗，显示了中国人民和中华儿女坚不可摧的磅礴力量！

——中国人民抗日战争胜利是中国人民同反法西斯同盟国以及各国人民并肩战斗的伟大胜利。中国人民永远不会忘记，世界上爱好和平与正义的国家和人民、国际组织等各种反法西斯力量对中国人民抗日战争给予的宝贵援助和支持。苏联给予中国抗战有力的物资支持，美国"飞虎队"冒险开辟驼峰航线，朝鲜、越南、加拿大、印度、新西兰、波兰、丹麦以及德国、奥地利、罗马尼亚、保加利亚、日本等国的一大批反法西斯战士直接投身中国抗战。加拿大医生白求恩、印度医生柯棣华不远万里来华救死扶伤，法国医生贝熙叶开辟运输药品的自行车"驼峰航线"，德国的拉贝、丹麦的辛德贝格在南京大屠杀中千方百计保护中国难民，英国的林迈可、国际主义战士汉斯·希伯等记者积极报道和宣传中国抗战壮举。他们的感人事迹和崇高品格永远铭记在中国人民心中！

中国人民在抗日战争的壮阔进程中孕育出伟大抗战精神，向世界展示了天下兴亡、匹夫有责的爱国情怀，视死如归、宁死不屈的民族气节，不畏强暴、血战到底的英雄气概，百折不挠、坚忍不拔的必胜信念。伟大抗战精神，是中国人民弥足珍贵的精神财富，将永远激励中国人民克服一切艰难险阻、为实现中华民族伟大复兴而奋斗。

同胞们、同志们、朋友们！

中国和日本是近邻。保持中日长期和平友好关系，符合两国人民根本利益，符合维护亚洲和世界和平稳定的需要。在两国2000多年的交往历史上，和平友好是主流。中日友好关系发展到今天的水平，来之不易。我们应该以历史眼光和全球视野思考和谋划两国关系，坚持在相互尊重、求同存异基础上，积极推动构建携手合作、互利双赢的新格局，推动两国关系沿着正确轨道持续向前发展。

正确对待和深刻反省日本军国主义的侵略历史，是建立和发展中日关系的重要政治基础。日本军国主义惨无人道的侵略行径、令人发指的屠杀罪行、野蛮疯狂的掠夺破坏，给中国人民和广大亚洲国家人民带来了惨绝人寰的灾难。事实不容抹杀，也是抹杀不了的。任何否认侵略历史甚至美化侵略战争和殖民统治的言论，都不能不引起中国人民和亚洲国家人民的极大愤慨、严厉谴责、高度警惕。

前事不忘，后事之师。我们纪念中国人民抗日战争和世界反法西斯战争的胜利，谴责侵略者的残暴，强调牢记历史经验和教训，不是要延续仇恨，而是要唤起善良的人们对和平的向往和坚守，是要以史为鉴、面向未来，共同珍爱和平、维护和平，让中日两国人民世世代代友好下去，让世界各国人民永享和平安宁。

同胞们、同志们、朋友们！

中国人民抗日战争胜利75年来，中国发生了翻天覆地的变化。中国共产党团结带领全国各族人民发愤图强、艰苦创业，创造了举世瞩目的发展成就，成功开辟了中国特色社会主义道路，中国特色社会主义进入新时代，脱贫攻坚战、全面建成小康社会胜利在望，中华民族伟大复兴迎来了光明前景。全体中华儿女为之感到无比自豪！

我们也清醒认识到，在前进道路上，我们仍然会面临各种各样的风险挑战，会遇到各种各样的荆棘坎坷。我们要弘扬伟大抗战精神，以压倒一切困难而不为困难所压倒的决心和勇气，敢于斗争，善于创造，锲而不舍为实现中华民族伟大复兴而奋斗，直至取得最后的胜利。

——实现中华民族伟大复兴，必须坚持中国共产党领导。办好中国的事情，关键在党。只要我们深入了解中国近代以来的历史就不难发现，鸦片战争以后的很长时间里，中国呈现各自为政、一盘散沙的乱象，这是日本军国主义敢于发动全面侵华战争的重要原因。如果没有中国共产党领导，完成民族独立和解放的任务就可能拖得更久、付出的代价更大，我们的国家更不可能取得今天这样的发展成就、更不可能具有今天这样的国际地位。坚持党的全面领导，是国家和民族兴旺发达的根本所在，是全国各族人民幸福安康的根本所在。我们要聚精会神抓好党的建设，使我们党越来越成熟、越来越纯洁、越来越强大、越来越有战斗力。全国各党派、各团体、各民族、各阶层、各界人士要紧密团结在党中央周围，万众一心向前进。任何人任何势力企图歪曲中国共产党的历史、丑化中国共产党的性质和宗旨，中国人民都绝不答应！

——实现中华民族伟大复兴，必须坚持走中国特色社会主义道路。道路问题直接关系党和人民事业兴衰成败。中国特色社会主义道路是党和人民历经千辛万苦、克服千难万险取得的宝贵成果。中国特色社会主义道路，开拓于中国人民共同奋斗，扎根于中华大地，是给中国人民带来幸福安宁的正确道路。无论遇到什么风浪，在坚持中国特色社会主义道路这个根本问题上都要一以贯之，决不因各种杂音噪音而改弦更张。随着新时代坚持和发展中国特色社会主义的伟大实践不断向前，我们的道路必将越走越宽广，我们的制度必将越来越成熟。任何人任何势力企图歪曲和改变中国特色社会主义道路、否定和丑化中国人民建设社会主义的伟大成就，中国人民都绝不答应！

——实现中华民族伟大复兴，必须坚持以人民为中心。人民是历史的创造者，是决定党和国家前途命运的根本力量。中国共产党来自人民、植根人民，初心和使命是为中国人民谋幸福、为中华民族谋复兴，根本宗旨是全心全意为人民服务。我们要坚持一切为了人民、一切依靠人民，保持同人民的血肉联系，紧紧依靠人民开拓事业新局面，促进全体人民共同富裕。任何人任何势力企图把中国共产党和中国人民割裂开来、对立起来，中国人民都绝不答应！

——实现中华民族伟大复兴，必须坚持斗争精神。中国共产党和中国人民是在斗争中成长和壮大起来的，斗争精神贯穿于中国革命、建设、改革各个时期。我国正处于实现中华民族伟大复兴关键时期，改革发展正处在攻坚克难的重要阶段，在前进道路上，我们面临的重大斗争不会少。我们必须以越是艰险越向前的精神奋勇搏击、迎难而上。凡是危害中国共产党领导和我国社会主义制度的各种风险挑战，凡是危害我国主权、安全、发展利益的各种风险挑战，凡是危害我国核心利益和重大原则的各种风险挑战，凡是危害我国人民根本利益的各种风险挑战，凡是危害我国实现“两个一百年”奋斗目标、实现中华民族伟大复兴的各种风险挑战，只要来了，我们就必须进行坚决斗争，毫不动摇，毫不退缩，直至取得胜利。历史必将证明，中华民族走向伟大复兴的历史脚步是不可阻挡的。任何人任何势力企图通过霸凌手段把他们的意志强加给中国、改变中国的前进方向、阻挠中国人民创造自己美好生活的努力，中国人民都绝不答应！

——实现中华民族伟大复兴，必须坚定不移走和平发展道路。近代以后，中国人民遭受列强的侵略、凌辱、掠夺达百年以上，但中国人民不是从中学到弱肉强食的强盗逻辑，而是更加坚定了维护和平的决心。人类命运休戚与共，各国人民应该秉持“天下一家”理念，共同推动构建人类命运共同体。中国人民热爱和平、珍惜和平，把维护世界和平、反对霸权主义和强权政治作为自己的神圣职责，坚决反对动辄使用武力或以武力威胁处理国际争端，坚决反对打着所谓“民主”、“自由”、“人权”等幌子肆意干涉别国内政。中国人民将一如既往同各国人民携手努力，为创造人类美好未来而不懈奋斗。任何人任何势力企图破坏中国人民的和平生活和发展权利、破坏中国人民同其他国家人民的交流合作、破坏人类和平与发展的崇高事业，中国人民都绝不答应！

同胞们、同志们、朋友们！

鉴往事，知来者。全党全军全国各族人民，海内外所有中华儿女，要更加紧密地团结起来，弘扬伟大抗战精神，向着中华民族伟大复兴的光辉彼岸奋勇前进。这是对为夺取中国人民抗日战争胜利献出生命的所有先烈、对为中华民族独立和中国人民解放献出生命的所有英灵的最好告慰。